A mi amiga
Lucie Papineau

Capítulo 1

Las vacaciones empiezan mal

—¡Pistacho Zapato! —grita la señora Carademosca—. ¿Me está escuchando?

Pistacho se sobresalta. La cara furiosa de la señora Carademosca aparece ante ella. Sus ojos lanzan relámpagos. Sus cejas parecen pequeñas víboras negras y brillantes.

—S-sí-sí, señora —tartamudea Pistacho.

—¡Entonces con-tes-te a mi pregunta! —grita la maestra, mientras sus víboras negras se fruncen formando una V.

—¿Cuánto da dos más dos?

Silencio. Pasa un ángel. Vuela una mosca. Pistacho, desesperada, se devana los sesos.

—Es…teee… —balbucea.

Algunos alumnos se burlan.

—¿Dos más dos? —ruge la señora Carademosca.

—¿Cinco? —murmura Pistacho.

La mitad de la clase se desploma de risa.

—¿Seis? —susurra ella.

La clase entera se retuerce de risa por el piso.

—¡DOS MÁS DOS! —brama la señora Carademosca.

Sus víboras negras se retuercen. Su nariz tiembla. Un verdadero dragón.

—¡Cuatro! ¡Cuatro! —exclama Pistacho, pero la maestra no la oye.

Pistacho se despierta gritando en su cama. El perro le lame suavemente la mejilla. El sol inunda su cuarto.

"¡Uf!", piensa ella, "¡qué pesadilla!"

En el mismo momento, recuerda que es el primer día de vacaciones.

—¡Vivaaa! —grita saltando de la cama—. ¡Vivaaa! ¡Se terminó la escuela! ¡Se terminó la vieja Carademosca! ¡Se terminaron los deberes! ¡Ahora empieza la aventura, empieza la libertad! ¡Hurraaa!

Pistacho se viste en un abrir y cerrar de ojos. ¡No hay corona esta
mañana! Se pone la gorra, toma
su mochila y su linterna y baja co-
rriendo la escalera. Llega a la cocina
como un tornado, cantando a toda
voz:

—¡Vi-va las va-ca-cio-nes…!

—Princesita… —la interrumpe su
mamá.

Su voz es demasiado dulce. Es su voz de almíbar de arce. Pistacho contempla a su madre con desconfianza. Pero su mamá le sonríe. Una sonrisa que derretiría un pedazo de hielo en pleno invierno.

—Princesita —repite—, por favor, ¿podrías llevar a tu hermana al parque esta mañana? Tengo que terminar un trabajo.

El corazón de Pistacho cae de golpe al nivel de su ombligo.

—¡Ah, no! —exclama—. Es el primer día de vacaciones… Además, tengo que encontrarme con Magdalena y Fede… Vamos a explorar la caverna del cementerio… además…

—¡Pistacho! —dice la madre—, necesito que me ayudes.

Ya no tiene su voz tan dulce.

—¡No es justo! —protesta Pistacho—. Me voy a aburrir mucho.

Su madre ya no sonríe. Un vientecito frío sopla en la cocina.

—¡So quiedo id al padque con Pistaso! —grita Paulita.

—¡Oh, no! —suspira Pistacho, descorazonada.

—¡Oh, sí! —afirma su mamá—. Estoy segura de que se van a divertir. ¿No es cierto, Paulita?

Paulita hace una gran sonrisa. Tiene puré de banana en el pelo, en la nariz y hasta un poco en las orejas.

—¡Aj! —exclama Pistacho.

Capítulo 2

La pequeña ladrona

Media hora más tarde, Pistacho se pone en camino. Arrastra a duras penas el carrito donde se apilan muñecas, animalitos de peluche, baldes de plástico, palas, rastrillos y... ¡su hermanita! Paulita tiene puesta su capucha con orejas de conejo y su capa de Superman. Está encantada. Consiguió disimular al perro debajo de los animalitos de peluche.

—¡Pesas mucho, Paulita —rezonga Pistacho, sin aliento—. Habría que ponerte a régimen.

—¡Amoz, Pistaso! ¡Ad gadope, Pistaso! —ordena Paulita.

En ese momento Magdalena y Fede pasan a toda velocidad en bicicleta. Cuando ven a Pistacho frenan haciendo chirriar sus neumáticos. El carrito desaparece en una nube de polvo.

—¡Eh, Pistacho! —dice Magdalena—, ¿no vienes a explorar la

caverna del cementerio con no-
sotros? Tenemos velas y una brújula…

—No puedo —refunfuña Pistacho—, tengo que llevar a mi hermana al parque.

—¿Cómo? —se burla Fede—.
¿Prefieres jugar a las muñecas con
un bebé?

Magdalena y Fede arrancan rien-
do como monos.

—Pero… pero no…—, empieza
Pistacho.

Demasiado tarde. Ya están muy
lejos.

—¡Ah, no! ¡Esto no es justo! Mis amigos van a disfrutar grandes aventuras y yo tengo que aburrirme con un bebé!

—¡So no bebé! ¡So Supedconejo! —grita Paulita.

—Sí… sí… —rezonga Pistacho mirando hacia cielo—. Tú Superconejo, yo Tarzán!

Bajo un sol que quema, Pistacho camina lentamente. Detrás de ella, sentada sobre la montaña de juguetes, Paulita canta: "¡Ti-gadop, ti-gadop, ti-gadop, pum-pum!", a voz en cuello.

El perro ronca. Pistacho imagina que explora la caverna del cementerio. Está sola en la oscuridad. El silencio es absoluto. De pronto, un roce, un susurro: los murciélagos la rozan con sus alas húmedas…

Da un salto al oír una voz tremenda:

—¡Alto ahí, pequeña ladrona! —grita el señor Pomodoro, el verdulero de la esquina.

Está rojo como un tomate y parece furioso:

—¡No tienes vergüenza! ¡Qué ejemplo para tu hermanita!

—¿Qué? ¿Co-cómo? —contesta Pistacho asombrada.

Se reúne una pequeña multitud. Susurran y la señalan con el dedo.

—¡Además, te haces la inocente! *Mamma mia!* —exclama el señor Pomodoro.

Hunde los dos brazos en la pirá-
mide de peluches y muñecas, des-
pertando al perro, que, sorprendido,
se pone a ladrar.

—¿Y esto, qué es esto? —pregunta el verdulero blandiendo dos
bananas.

Pistacho abre grandes los ojos.

—¿Y esto? ¿Acaso es una pe-
lota de playa?

Le pone una sandía delante de
su cara. La gente ríe. El perro ladra
cada vez más fuerte.

—Pero, pero… ¿de dónde sale todo esto? —pregunta Pistacho, un poco aturdida por ese escándalo.

—¡De mis es-tan-tes! *Mamma mia!* ¡Si te vuelvo a pescar, pequeña sinvergüenza… ¡llamo a *la polizia!*

Y regresa a su verdulería con aire digno. La gente se dispersa murmurando.

—¡Qué vergüenza! —dice la panadera—. ¿Pero quién es esta ladronzuela?

—¡Es Pistacho Zapato! —contesta Julián burlándose—. Está en mi clase.

—¡Ah, la juventud de hoy! —suspira un señor gordo—. ¡En mis tiempos esto no ocurría!

Pistacho se queda allí, petrificada, con la boca abierta y las mejillas que le arden. No entiende nada. En ese momento, su her-

mana saca una pera que estaba debajo de la cabra de peluche. La muerde con ganas. Pistacho entiende por fin. ¡La ladrona es Paulita! ¡Ella es la pequeña delincuente! ¡Siente que la furia le crece dentro como un gran viento cálido y rojo. Se acerca a su hermana, le arranca la pera de las manos y la arroja a la calle. ¡SPLASH! Pasa un auto y la aplasta dejándola como un panqueque.

Paulita grita, furiosa.

Pistacho tiene la mirada tormentosa y los dientes apretados. No dice una palabra. Parte otra vez hacia el parque, tirando detrás de ella a un conejo enojado con las orejas bajas. El perro las sigue de lejos, con la lengua fuera.

Capítulo 3

La bruja Dienteviejo

Pistacho divisa por fin la verja del parque al final de la larga calle desierta. De pronto, ve a su amigo Baltasar que patina zigzagueando hacia ella, encorvado bajo el peso de una gran bolsa de lona.

—¡Hola, Pistacho! ¿Vienes a explorar la caverna del cementerio? Parece que en el fondo hay un tesoro fabuloso. Tengo un pico y una pala. Magdalena y Fede traen…

—…velas y una brújula, ya sé, ya sé —suspira Pistacho—, pero yo no puedo ir, debo…

—…¿pasear a tus juguetes? —la interrumpe Baltasar ahogándose de risa.

—Llevo a mi hermana y SUS juguetes al parque, es evidente, ¿no?

—¿Tu hermana es invisible?, supongo —añade Baltasar.

—¿Mi hermana invis…?

Pistacho da media vuelta. Las muñecas y los peluches la miran con aire atontado. ¿Pero dónde está Paulita?

—¡Que te diviertas, Pistacho! —se despide Baltasar, que desaparece en un abrir y cerrar de ojos.

Pistacho, trastornada, mira de un lado al otro de la calle. ¡Vacía!

—¡Busca a Paulita! —le grita al perro.

El perro rehace el camino, la nariz en el suelo, las orejas al viento. Pistacho lo sigue de cerca. De pronto, el animal se detiene al pie de una pared de piedra, con una pata en el aire.

—¡Pistaso! ¡Pistaso! —se oye una vocecita aguda.

Es Paulita, subida sobre la pared
como un pájaro en un cable de
electricidad.

—¡No te muevas para nada! —in-
dica Pistacho.

—So Supedconejo —grita Pau-
line—. ¡So vodad!

Hace remolinear su capa y se
prepara a arrojarse al vacío.

—¡NO-O-O-O! —grita Pistacho.

Paulita, sorprendida, cae… del otro lado de la pared. Se oye un débil grito. Después, silencio total.

Aterrorizada, Pistacho escala la pared. Las viejas piedras musgosas son resbaladizas y ella se rompe las uñas y se raspa las rodillas. Se asoma por encima de la pared y descubre a Paulita inmóvil, tendida en un mar de flores rojas.

"¡Ay!", piensa Pistacho. Se deja caer en el jardín y se precipita hacia su hermana.

—¡Paulita! —susurra.

No hay respuesta. ¿Estará gravemente herida? ¿Tal vez muerta? Pistacho tiene el corazón en la boca. De pronto, Paulita se levanta de un salto y anuncia a los gritos:

—¡Cú-cú! ¡So sod Supedconejo!

Estalla en carcajadas y vuelve a caer entre las flores. Los pétalos rojos hacen remolinos en el aire.

Pistacho está muy aliviada y a la vez muy enojada.

—¡Cabeza de chorlito! —se enfurece—. Espera un poco y…

—¿Qué demonios hacen ustedes en mi jardín? —rezonga una voz ronca—. ¿Vienen a hacer maldades? ¿Eh?

Pistacho contempla con horror a la señora Dienteviejo que se acerca apoyándose en su viejo bastón torcido. Baja, gorda y jorobada, oculta su desagradable rostro bajo un gran sombrero de fieltro negro.

Todos los niños del barrio la conocen. Todos la llaman la bruja Dienteviejo.

—Tengo muchas ganas de transformarlas en sapos —gruñe la señora Dienteviejo.

—¡Teno hamde! —grita Paulita. Sus orejas de conejo se agitan por encima de las flores.

—¡Sshh! —susurra Pistacho—, no tengas miedo.

—¡So no teno medo! —grita Paulita—. ¡So teno hambde!

—Yo también tengo mucho hambre —gruñe la señora Dienteviejo—.

Me gustaría masticar un conejito regordete. ¡Ñam-ñam!

Se acerca dando pequeños pasos mientras revuelve en su inmensa cartera.

—Sí, un buen guiso de conejo. No estaría nada mal… Lo acompañaría con una sopa de sapo tibia, mmm-m-m, ¡divino! ¿Pero dónde habré metido mi varita mágica?

La señora Dienteviejo deja su cartera en el suelo y hunde la cabeza hasta el fondo.

—¡Pequeñas pestes! —dice con una voz apagada—, ¡no importa, no pierden nada por esperar!

Pistacho aprovecha ese momento de distracción. Toma a Paulita bajo el brazo como si fuera un gran paquete y corre hacia la pared.

—¡No nos tendrás, vieja bruja —grita.

¡Y arriba! Trepa la pared y desaparece del otro lado.

La señora Dienteviejo saca la cabeza de la cartera y se endereza, sonriendo.

—Esto va bien —dice.

Su risa rechinante resuena en la calle desierta.

Capítulo 4

El tesoro de Pistacho

¡Por fin llegaron al parque! Pistacho instala a Paulita en el arenero con su balde, su pala y sus peluches. Se deja caer sobre un banco a la sombra de un árbol y se seca la frente.

"¡Uf! ¡Escapamos por poco!", piensa.

Mientras recobra el aliento, Pistacho se pone de nuevo a soñar con la caverna del cementerio. Si pu-

diera explorarla… Entonces sería
ella quien encontraría el tesoro es-
condido ¡está segura! Se imagina
arrastrándose en un túnel angosto
y húmedo, con una vela en la mano. De pronto, ve un resplandor.
¡No! ¡Dos resplandores! Son los
ojos rojos del dragón guardián del
tesoro. Está tendido sobre una
montaña de piedras preciosas, de
joyas y de monedas de oro. El dra-

gón abre muy grandes sus fauces humeantes y aúlla:

—¡Pistaso! ¡Pi-i-i-istaso!

Pistacho da un brinco. Se da vuelta y ve a Paulita que patalea en la fuente. De pronto, su hermana se zambulle salpicando a los pájaros. ¡SPLASH! Sólo se ven sus medias a rayas. Reaparece en seguida, encantada…

—¡Pistaso! ¡Ven a ved! —grita.

Pistacho está furiosa. ¡Qué peste! Corre hacia la fuente.

—¡Paulita, basta! ¡Sal de allí in-
mediatamente!

—¡So encontdé un tesodo! —grita Paulita.

¿Un tesoro? Pistacho se acerca.
Paulita deposita un puñado de monedas en el borde de la fuente. El
sol las hace brillar. Paulita sonríe
con orgullo.

Pistacho rechina los dientes y dice:

—¡Cabeza de alcornoque! No
es un tesoro. La gente tira mone-

das en la fuente para pedir un deseo. Está prohibido sacarlas.

—¡En efecto! —se oye una voz severa, es el guardián del parque—, también está prohibido bañarse en la fuente, prohibido caminar sobre el césped, prohibido llevar animales sin correa…

—¡Son de peluche! —protesta Pistacho.

De reojo ve que el perro se esconde detrás de un árbol.

El hombre saca un librito negro de su bolsillo y lo consulta:

—Artículo 213, párrafo b): *está prohibido a quienquiera que sea introducir un animal o un peluche sin correa en el parque.* ¡Eso es! —dice, satisfecho—. Ahora, salgan de mi parque. Señorita, usted debería tener vergüenza por obligar a esta pobre pequeñita a sumergirse en la fuente para sacar monedas.

—Pero, pero, yo no… —balbucea Pistacho.

—¡Vamos! ¡Rápido!

El guardián guarda su librito negro y se cruza de brazos. Pistacho toma a su hermana que chorrea agua y que se sacude como un pez y la sienta en el carrito.

Parte, cabeza baja, bajo la mirada furiosa del guardián del parque. Paulita, sonriente, lo saluda con la mano. El perro las sigue como una sombra, escondiéndose de árbol en árbol.

A mediodía llegan a casa. Pistacho, roja y jadeante, arrastra un Superconejo muy húmedo y arrugado.

—¿Entonces? —pregunta su madre—. ¿Se divirtieron?

—¡Uf! —suspira Pistacho—. A causa de Paulita, he sido acusada de robo, estuve a punto de ser transformada en sapo y, además, hemos sido echadas del parque. ¡Se terminó! No me ocuparé más de este bebé sin cerebro.

—¡So no bebé —grita Paulita—, so Supedconejo!

—¡Cuántas aventuras! —dice la madre—. Tengo la impresión de que no te has aburrido ni un segundo, ¿no es verdad, princesita?

Pistacho la mira. "¡Decididamente, no entiende nada de nada!", piensa.

—Pero creo que tienes razón, tal vez sea un poco demasiado para ti. Mañana le pediré a una señora del vecindario que las cuide.

—¿A quién? —pregunta Pistacho, curiosa.

—Ustedes la conocen, es la señora Dienteviejo.

—¡Ah, no! —gritan las hermanas a la vez.

—Está bien, mamá —dice Pistacho rápidamente—. No te preo-
cupes, mañana me ocuparé de
Paulita, estoy segura de que nos
vamos a divertir. ¿Verdad, Paulita?

—¡Sí! ¡Tú Tadzán, so Supedconejo!